中华人民共和国国家标准

马铃薯贮藏设施设计规范

Design code for potato storage facilities

GB/T 51124-2015

主编单位：中华人民共和国农业部
批准部门：中华人民共和国住房和城乡建设部
施行日期：２０１６年５月１日

中国计划出版社

2015 北京

中华人民共和国国家标准
马铃薯贮藏设施设计规范
GB/T 51124-2015
☆
中国计划出版社出版
网址:www.jhpress.com
地址:北京市西城区木樨地北里甲11号国宏大厦C座3层
邮政编码:100038　电话:(010) 63906433(发行部)
新华书店北京发行所发行
北京市科星印刷有限责任公司印刷

850mm×1168mm　1/32　2印张　46千字
2015年12月第1版　2015年12月第1次印刷
☆
统一书号:1580242·804
定价:12.00元

版权所有　侵权必究
侵权举报电话:(010) 63906404
如有印装质量问题,请寄本社出版部调换

中华人民共和国住房和城乡建设部公告

第 899 号

住房城乡建设部关于发布国家标准《马铃薯贮藏设施设计规范》的公告

现批准《马铃薯贮藏设施设计规范》为国家标准，编号为 GB/T 51124—2015，自 2015 年 5 月 1 日起实施。

本规范由我部标准定额研究所组织中国计划出版社出版发行。

中华人民共和国住房和城乡建设部
2015 年 8 月 27 日

前　　言

本规范是根据住房城乡建设部《关于印发〈2012年工程建设标准规范制订、修订计划〉的通知》(建标〔2012〕5号)的要求,在规范编制组经广泛调查研究,认真总结实践经验,参考有关标准,并广泛征求意见的基础上编制完成的。

本规范共分8章,主要内容包括:总则、术语和符号、基本规定、贮藏工艺设计、建筑设计、结构设计、通风与防冻设计和电气设计等。

本规范由住房城乡建设部负责管理,农业部负责日常管理,农业部规划设计研究院负责具体技术内容的解释。本规范执行过程中如有修改和补充之处,请将意见或建议寄送农业部规划设计研究院(地址:北京市朝阳区麦子店街41号;邮政编码:100125;E-mail:qinyangch@sina.com)。

本规范主编单位、参编单位、主要起草人和主要审查人:

主 编 单 位:农业部规划设计研究院

参 编 单 位:甘肃省农业科学院农产品贮藏加工研究所
　　　　　　宁夏大学

主要起草人:程勤阳　蔡学斌　沈　瑾　王希卓　郭爱东
　　　　　　李　艳　孙　洁　孙　静　朱　旭　田世龙
　　　　　　陈彦云

主要审查人:王　勇　尹　江　陈洪严　高晓静　黄亦葛
　　　　　　李树君　刘　伟　刘喻石　俞宏军　杨铁荣
　　　　　　张远学

目　次

1 总　　则 ………………………………………………（ 1 ）
2 术语和符号 ……………………………………………（ 2 ）
　2.1 术语 ………………………………………………（ 2 ）
　2.2 符号 ………………………………………………（ 2 ）
3 基本规定 ………………………………………………（ 5 ）
　3.1 分类 ………………………………………………（ 5 ）
　3.2 选址 ………………………………………………（ 5 ）
　3.3 使用年限及安全等级 ……………………………（ 6 ）
4 贮藏工艺设计 …………………………………………（ 7 ）
　4.1 贮藏环境 …………………………………………（ 7 ）
　4.2 贮藏方式 …………………………………………（ 7 ）
5 建筑设计 ………………………………………………（ 8 ）
　5.1 方案设计 …………………………………………（ 8 ）
　5.2 建筑构造 …………………………………………（ 9 ）
6 结构设计 ………………………………………………（12）
　6.1 一般要求 …………………………………………（12）
　6.2 荷载和荷载效应计算 ……………………………（12）
　6.3 材料选用 …………………………………………（14）
　6.4 基础设计 …………………………………………（15）
　6.5 砖砌贮藏窖 ………………………………………（16）
　6.6 钢筋混凝土贮藏库 ………………………………（18）
　6.7 钢结构贮藏库 ……………………………………（19）
　6.8 通风道 ……………………………………………（19）
7 通风与防冻设计 ………………………………………（21）

7.1 一般要求 ……………………………………………（21）
 7.2 自然通风 ……………………………………………（22）
 7.3 机械通风 ……………………………………………（23）
 7.4 大型贮藏库通风 ……………………………………（23）
 7.5 设备选择 ……………………………………………（24）
 7.6 通风道及其他 ………………………………………（24）
8 电气设计 …………………………………………………（26）
 8.1 一般要求 ……………………………………………（26）
 8.2 配电系统 ……………………………………………（26）
 8.3 照明系统 ……………………………………………（26）
 8.4 防雷与接地 …………………………………………（27）
本规范用词说明 ……………………………………………（28）
引用标准名录 ………………………………………………（29）
附：条文说明 ………………………………………………（31）

Contents

1 General provisions ……………………………………… (1)
2 Terms and symbols ……………………………………… (2)
　2.1　Terms ……………………………………………… (2)
　2.2　Symbols …………………………………………… (2)
3 Basic requirements ……………………………………… (5)
　3.1　Classification …………………………………… (5)
　3.2　Site selection …………………………………… (5)
　3.3　Service life and safety level ………………… (6)
4 Storage process ………………………………………… (7)
　4.1　Storage environmental factors ……………… (7)
　4.2　Storage method ………………………………… (7)
5 Architecture …………………………………………… (8)
　5.1　Design alternative ……………………………… (8)
　5.2　Architecture construction …………………… (9)
6 Structure ………………………………………………… (12)
　6.1　General requirements ………………………… (12)
　6.2　Load and load calculation …………………… (12)
　6.3　Material selection ……………………………… (14)
　6.4　Foundation design ……………………………… (15)
　6.5　Brick masonry …………………………………… (16)
　6.6　Reinforced concrete storage ………………… (18)
　6.7　Steel structure storage ……………………… (19)
　6.8　Ventilation stack ……………………………… (19)
7 Ventilation and anti-freeze ………………………… (21)

7.1	General requirements	(21)
7.2	Natural ventilation	(22)
7.3	Mechanical ventilation	(23)
7.4	Constant temperature storage ventilation	(23)
7.5	Equipment selection	(24)
7.6	Air duct and other	(24)

8 Electric (26)

    8.1 General requirements (26)

    8.2 Distribution system (26)

    8.3 Lighting system (26)

    8.4 Lightning protection and grounding (27)

Explanation of wording in this code (28)

List of quoted standards (29)

Addition: explanation of provisions (31)

1 总　　则

1.0.1 为提高马铃薯贮藏设施设计水平,做到技术先进、经济合理、安全适用,制定本规范。

1.0.2 本规范适用于新建、改建、扩建的马铃薯贮藏设施的设计。

1.0.3 马铃薯贮藏设施设计应因地制宜,与经济和技术发展水平相结合,应满足节地、节能和节约投资的要求。

1.0.4 马铃薯贮藏设施设计除应执行本规范外,尚应符合国家现行有关标准的规定。

2 术语和符号

2.1 术 语

2.1.1 贮藏窖　storage cavern

室内地平面低于室外地平面的高度超过室内净高1/3的贮藏设施。

2.1.2 贮藏库　storeroom

室内地平面低于室外地平面的高度不超过室内净高1/3的贮藏设施。

2.1.3 马铃薯压力　pressure of potato

马铃薯作用在接触物体表面上的压力。

2.1.4 马铃薯重力密度　potato gravity density

单位体积马铃薯的重量。

2.1.5 马铃薯堆内摩擦角　the angle of internal friction

马铃薯自然堆积时与地面能形成的最大夹角。

2.2 符 号

b_0——马铃薯薯堆实际宽度；

C_P——空气定压比热容；

d_1——进风含湿量；

d_2——出风含湿量；

f——贮藏窖拱高；

H——通风系统总阻力；

H_P——马铃薯堆阻力；

H_d——风道系统阻力；

h——贮藏窖顶覆土高度；

h_0——马铃薯薯堆实际高度；

k——马铃薯侧压力系数；

L——贮藏窖的跨度；

L_h——排除多余热量的通风量；

L_C——排除多余 CO_2 的通风量；

L_w——排除水汽通风量；

L_P——马铃薯1小时 CO_2 排出量；

l_0——马铃薯薯堆设计长度；

N_i——室内 CO_2 设计浓度；

N_a——户外空气中 CO_2 浓度；

P_h——马铃薯作用于库（窖）壁单位面积上的水平压力标准值；

P_f——马铃薯作用于库（窖）壁单位面积上的竖向摩擦力标准值；

P_v——马铃薯作用于库（窖）壁单位面积上的垂直压力标准值；

Q——库（窖）贮藏容量；

Q_w——围护结构传热量；

Q_m——马铃薯一次入库（窖）带入热量及马铃薯呼吸热；

Q_S——设备产生的热量；

q_c——窖顶覆土线荷载；

r——填土容重；

s——马铃薯顶面至所计算截面的距离；

t_P——排出贮藏库（窖）空气的温度；

t_j——进入贮藏库（窖）空气的温度；

W——贮藏库（窖）内湿负荷；

ρ——马铃薯体积密度；

γ——马铃薯重力密度；

δ——马铃薯对墙体的外摩擦角；

φ——马铃薯堆内摩擦角;
ρ_a——空气密度;
ρ_c——CO_2密度。

3 基本规定

3.1 分 类

3.1.1 贮藏设施按贮藏规模可分为下列类型：
1 小型贮藏设施，贮藏量100t及以下；
2 中型贮藏设施，贮藏量100t(不含100t)～1000t(不含1000t)；
3 大型贮藏设施，贮藏量1000t及以上。

3.1.2 贮藏设施按结构材料可分为下列类型：
1 砌体结构；
2 钢筋混凝土结构；
3 钢结构；
4 钢—混凝土组合结构。

3.1.3 贮藏设施按受力形式可分为下列类型：
1 框(排)架结构；
2 拱形结构；
3 门式刚架结构。

3.1.4 贮藏设施按结构施工方法可分为下列类型：
1 现浇结构；
2 预制装配结构；
3 装配整体式结构。

3.2 选 址

3.2.1 贮藏设施应利用自然有利地形，有效使用土地。

3.2.2 贮藏设施宜临近村庄主要道路，根据贮藏设施规模及运输方式，合理确定贮藏设施出入口位置及装卸场地尺寸。

3.2.3 贮藏设施应远离有害物质、污染源和不良工程地质条件。

3.3 使用年限及安全等级

3.3.1 小型贮藏设施结构设计使用年限应为 10 年,中型、大型贮藏设施结构设计使用年限应为 25 年,安全等级为三级,抗震设防类别应按适度设防类建筑执行。

4 贮藏工艺设计

4.1 贮藏环境

4.1.1 种薯贮藏温度宜为2℃～4℃,鲜食薯贮藏温度宜为4℃～6℃,加工薯贮藏温度宜为6℃～10℃。

4.1.2 马铃薯贮藏相对湿度宜为85%～90%。

4.1.3 贮藏库(窖)内CO_2浓度应小于0.30%。

4.1.4 马铃薯应避光贮藏。

4.2 贮藏方式

4.2.1 散堆贮藏应符合下列规定:

1 贮藏窖内贮藏高度不宜大于2.00m,且贮量不宜超过窖容的2/3;

2 贮藏库内贮藏高度不宜大于3.00m,且贮量不宜超过库容的2/3;

3 大型贮藏库贮藏高度不宜大于4.50m。

4.2.2 袋装贮藏应符合下列规定:

1 垛高不宜大于2.00m,垛宽不宜大于2.00m,垛长不宜大于10.00m,垛与垛相距不宜小于0.40m,垛与墙壁距离不宜小于0.20m;

2 有地面通风道的大型贮藏库,垛长、垛宽和垛与垛间距可不受限。

4.2.3 箱式贮藏箱的容积宜为$1.50m^3$～$2.50m^3$,堆垛高度不宜大于7.50m。

5 建筑设计

5.1 方案设计

5.1.1 马铃薯贮藏库(窖)贮藏容量可按下式计算：

$$Q = \rho l_0 b_0 h_0 \qquad (5.1.1)$$

式中：Q——库(窖)贮藏容量(kg)；

　　　ρ——马铃薯体积密度，散堆时，可取 650kg/m³，袋堆时，可取 500kg/m³；

　　　l_0——马铃薯薯堆设计长度(m)；

　　　b_0——马铃薯薯堆实际宽度(m)；

　　　h_0——马铃薯薯堆实际高度(m)。

5.1.2 贮藏窖宜设置在严寒和寒冷地区，贮藏库宜设置在寒冷、温和及夏热冬冷地区。

5.1.3 贮藏库防火应符合现行国家标准《建筑设计防火规范》GB 50016戊类仓库的有关规定。

5.1.4 建筑平面布局及建筑高度应符合下列规定：

1 跨度、高度、柱距及构件尺寸等应符合现行国家标准《建筑模数协调标准》GB/T 50002 的有关规定；

2 单跨窖平面应为矩形，跨度 3.00m～6.00m，长度不宜超过 30.00m，平屋面时，净高应大于 2.50m，拱屋面时，肩高应大于 1.50m，起弧弧度应由结构计算后确定；多窖宜采用"非"字形平面布局时，中间应为走道，走道两侧应为单跨窖，窖口应面向走道，走道宽度不宜小于 4.00m；

3 贮藏库平面宜为矩形，净高应大于 3.00m。其中，大型贮藏库净高宜大于 6.00m。多库宜采用"非"字形平面布局，走道宽度宜大于 6.00m。

5.2 建筑构造

5.2.1 马铃薯贮藏库(窖)热工设计应符合下列规定：

1 围护结构的热工设计应根据工艺专业提供的库(窖)内环境技术条件及建设地点气候条件综合确定；

2 贮藏窖围护结构传热系数宜符合表5.2.1-1的规定；

表5.2.1-1 贮藏窖围护结构传热系数

地 区	外墙[W/(m²·K)]	屋面[W/(m²·K)]
严寒地区	≤0.39	≤0.31
寒冷地区	≤0.79	≤0.63

3 贮藏窖墙面和屋面保温采用覆土形式时宜采用加草黏土；

4 大型贮藏库围护结构传热系数宜符合表5.2.1-2的规定；

表5.2.1-2 大型贮藏库围护结构传热系数

平均年最低温度的地区(℃)	外墙[W/(m²·K)]	屋面[W/(m²·K)]
≥−12.2	≤0.40	≤0.26
−23.4~−12.2	≤0.40	≤0.23
≤−23.4	≤0.29	≤0.17

5 大型贮藏库地面应采用保温地面,地面热阻应大于1.72 (m²·K)/W。

5.2.2 屋面做法应符合现行国家标准《屋面工程技术规范》GB 50345的有关规定。屋面防水等级不应低于Ⅲ级。

5.2.3 墙体应符合下列规定：

1 墙体材料可根据当地建材实际情况选择,但应满足结构设计要求,采用防结露无污染材料；

2 贮藏窖墙体宜采用外保温,贮藏库墙体宜采用内保温；

3 贮藏窖内墙面宜为清水砖墙,贮藏库内墙面宜采用水泥砂浆墙面,内墙面应光滑；

4 贮藏库外墙外保温材料采用吸湿性材料时,应选用气密性、水密性好的防水卷材或防水涂料,应在保温层内侧做隔汽层。

5.2.4 地面应符合下列规定：

　　1 贮藏窖地面宜采用夯实土地面；

　　2 贮藏库地面设计应符合现行国家标准《建筑地面设计规范》GB 50037 的有关规定。

5.2.5 门、窗应符合下列规定：

　　1 门的位置与数量应根据贮藏量和工艺要求合理确定；

　　2 严寒地区、寒冷地区贮藏库（窖）对外出入口应设门斗缓冲间，贮藏窖应设两道门；

　　3 门的最小宽度和最小高度应符合表5.2.5的规定；

表 5.2.5　门的最小宽度和最小高度(m)

贮藏设施类别	最小宽度	最小高度
小型贮藏设施	1.0	2.0
中型贮藏设施	2.4	2.4
大型贮藏设施	4.0	4.5

　　4 窗的位置与数量应根据通风要求合理确定，窗应有遮光功能，北方地区宜减少窗的数量，设置防鼠网；

　　5 门窗保温隔热性能应与墙体热工性能相匹配，热阻不宜小于 $1.0(m^2·K)/W$。

5.2.6 散水、台阶、坡道、雨篷应符合下列规定：

　　1 贮藏设施外墙四周应设混凝土散水，散水坡度宜为3%～5%。当屋面采用无组织排水时，散水宽度应宽出檐口线0.2m以上。混凝土散水应设置伸缩缝，间距不宜大于12m；散水与外墙之间宜设宽20mm～30mm的缝，缝内应嵌柔性防水材料；

　　2 贮藏量小于20t的窖可采用台阶，台阶宽度不应小于240mm，高度不应大于200mm；贮藏量为20t及以上的窖宜采用坡道，坡道宜采用混凝土坡道，混凝土面层厚度及垫层材料应满足运输机械通行强度要求，坡度应小于1∶6；

　　3 贮藏设施对外出入口应有雨篷。

5.2.7 通风道及出屋面通风口应符合下列规定：

1 地面通风道的底面应设混凝土垫层；
2 砖砌拱顶上应预埋垂直通风管或预留通风口；
3 出屋面通风口，屋面防水层上翻高度应大于250mm，且与通风口紧密连接，出屋面通风道应采取防风防雨措施。

6 结构设计

6.1 一般要求

6.1.1 马铃薯贮藏库(窖)结构设计,应根据使用条件、地下水位、材料供应及施工条件等因素确定。合理选择结构方案,在规定的设计使用年限内满足施工和正常使用的结构强度、刚度及稳定性、耐久性要求。

6.1.2 结构选型应符合下列规定:
  1 贮藏窖宜采用砖砌墙体,砖砌拱形屋面或混凝土屋面承重的结构形式;
  2 贮藏库主体结构宜采用框(排)架结构,门式刚架。

6.1.3 结构设计应符合抗震、砌体、钢结构、地基设计规范的规定。

6.2 荷载和荷载效应计算

6.2.1 荷载可分为下列类型:
  1 永久性荷载包括结构自重、覆土和土压力;
  2 可变荷载包括屋面活荷载、马铃薯堆积荷载、风荷载、雪荷载和地面附加荷载;
  3 地震作用。

6.2.2 马铃薯荷载对库(窖)壁的作用力包括作用于库(窖)壁的水平压力、竖向摩擦力;当未确定贮藏方式时,马铃薯荷载应按照对结构产生最不利作用的贮藏方式产生的作用力计算。

6.2.3 散堆马铃薯对库(窖)壁的压力标准值应按下列规定计算:
  1 计算深度 s 处马铃薯作用于库(窖)壁单位面积上的水平压力标准值应按下式计算:

$$P_h = k\gamma s \quad (6.2.3-1)$$

2 计算深度 s 处马铃薯作用于单位面积上的竖向摩擦力标准值应按下式计算：

$$P_f = ks\gamma\tan\delta \quad (6.2.3-2)$$

3 马铃薯侧压力系数 k 值，可按下式计算：

$$k = \frac{\cos^2\varphi}{\cos\delta\left(1+\sqrt{\frac{\sin(\varphi+\delta)\sin\varphi}{\cos\delta}}\right)^2} \quad (6.2.3-3)$$

式中：P_h——马铃薯作用于库(窖)壁单位面积上的水平压力标准值(kN/m^2)；

P_f——马铃薯作用于库(窖)壁单位面积上的竖向摩擦力标准值(kN/m^2)；

k——马铃薯侧压力系数；

s——马铃薯顶面至所计算截面的距离(m)，如图 6.2.3 所示；

γ——马铃薯重力密度(kN/m^3)；

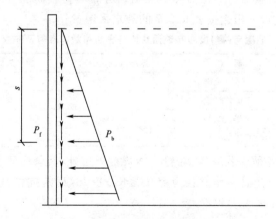

图 6.2.3 库(窖)壁受马铃薯作用计算示意图
注：按式(6.2.3-1)计算水平压力时，k 值计算不考虑马铃薯对库(窖)壁的外摩擦角。

δ——马铃薯对墙体的外摩擦角(°);
φ——马铃薯堆内摩擦角(°)。

4 地基承载力计算及地基变形验算时,应根据具体情况确定是否考虑马铃薯库(窖)壁的侧压力及摩擦力。

6.2.4 散堆马铃薯对地面的垂直压力标准值可按下式计算:

$$P_v = \gamma s \qquad (6.2.4)$$

式中:P_v——马铃薯作用于库(窖)壁单位面积上的垂直压力标准值(kN/m^2)。

6.2.5 单层贮藏库库房堆货高度达 4.5m 时,地面均布活荷载标准值可采用 $25kN/m^2$。

6.2.6 设备置于设备平台时,设备荷载应按实际重量考虑,无设备资料时,设备平台均布活荷载标准值可按 $8kN/m^2$。

6.2.7 荷载效应组合应符合下列规定:

1 地下或半地下贮藏窖应考虑空窖、满窖及单侧回填时与其他各种荷载的不利组合;

2 贮藏库(窖)楼面和地面结构分布和荷载标准值及准永久值系数应根据用途按表 6.2.7 的规定采用。

表 6.2.7 贮藏库(窖)楼面和地面结构分布和荷载标准值及准永久值系数

序号	部位	标准值(kN/m^2)	准永久值系数
1	地面	15	0.8
2	运货坡道	15	0.8
3	楼梯间	3.5	0.3
4	操作平台	3.5	0.3

6.2.8 各种荷载取值,除符合本规范规定外,其余均应符合现行国家标准《建筑结构荷载规范》GB 50009 和《建筑抗震设计规范》GB 50011 的有关规定。

6.3 材料选用

6.3.1 砌体材料应符合下列规定:

  1 环保砖强度等级不应低于 MU10；

  2 石材强度等级不应低于 MU20；

  3 水泥砂浆强度等级不应低于 M7.5。

6.3.2 贮藏库（窖）钢筋混凝土材料应符合现行国家标准《混凝土结构设计规范》GB 50010 的有关规定。

6.3.3 钢结构应符合现行国家标准《钢结构设计规范》GB 50017 的有关规定。采用现行国家标准《碳素结构钢》GB/T 700 规定的 Q235 钢和《低合金高强度结构钢》GB/T 1591 规定的 Q345 钢。门式刚架、焊接的檩条、墙梁等构件宜采用 Q235B 或 Q345A 及以上等级的钢。非焊接的檩条和墙梁等构件可采用 Q235A(B)钢。

6.3.4 基础混凝土强度等级应符合下列规定：

  1 垫层不应低于 C15；

  2 基础不应低于 C20；

  3 基础材料应符合现行国家标准《建筑地基基础设计规范》GB 50007 的有关规定。

6.4 基础设计

6.4.1 基础埋深应考虑下列因素：

  1 贮藏库（窖）基础形式和构造；

  2 工程地质和水文地质条件；

  3 相邻库（窖）体的基础埋深；

  4 地基土冻胀和融陷的影响。

6.4.2 基础宜埋置在地下水位以上，如必须埋在地下水位以下时，地基土在施工时应采取不受扰动的措施，保证正常使用时地下水不能进入贮藏窖。

6.4.3 贮藏窖及贮藏库基础计算应符合现行国家标准《建筑地基基础设计规范》GB 50007 的有关规定。地基承载力计算除应考虑柱或墙传来的竖向力、水平剪力和弯矩作用外，还应考虑压在基础上的马铃薯荷载。

6.4.4 结构长度超过40m或置于不同土层时,应设置变形缝或沉降缝。变形缝或沉降缝设置应符合现行国家标准《建筑地基基础设计规范》GB 50007的有关规定。

6.4.5 软土地基地坪应考虑下列因素:

　　1 大面积堆载对地坪沉降产生的影响,宜对地坪采取加强措施,防止因地坪沉降开裂破坏防潮层。当受资金限制且工期允许时,也可采取预压的方法,待地坪地基沉降稳定后再施工永久地坪。

　　2 当库(窖)内地坪上的大面积堆载超过软土地基的承载力时,应考虑地基整体滑移及库(窖)外地坪隆起因素。

6.4.6 贮藏窖基础应进行挡土墙土压力以及土坡稳定性验算。

6.5 砖砌贮藏窖

6.5.1 砖砌贮藏窖构造应符合下列规定:

　　1 应根据当地实际情况在窖屋面设置保温隔热层;

　　2 墙体构造应根据地基引起的不均匀沉降、窖体外土压力及马铃薯堆积荷载等影响,设置墙肩及基础圈梁;

　　3 在墙体转角处和纵横墙交接处应设置构造柱,构造柱间距不宜大于8m,构造柱应伸至圈梁并与圈梁整浇在一起;

　　4 当窖外墙采用自承重墙时,外墙与窖内承重结构之间每层均应可靠拉结。抗震设防烈度为6度及以上时,外墙应设置钢筋混凝土构造柱及圈梁。

6.5.2 下列情况不宜采用未采取构造措施的砖砌拱顶窖体:

　　1 跨度大于6m的贮藏窖;

　　2 窖顶覆土厚度大于2m;

　　3 地震设防烈度为8度及以上地区;

　　4 地震设防烈度为7度时,建筑场地为Ⅲ类及以下软弱地区。

6.5.3 贮藏窖宜采用双跨及多跨的结构形式,不宜采用单跨结构。

6.5.4 贮藏窖侧墙的计算模型可按下列原则采用：

1 当侧墙两侧有土时，侧墙可按上（拱脚处）下端铰接，并仅考虑拱顶范围以外的地面荷载，按偏心受压计算；

2 当侧墙两侧无土时，侧墙可按上端（拱脚处）悬臂，下端固接，验算拱顶推力作用下的承载能力，不考虑内部堆积物对侧墙的推力。

6.5.5 贮藏窖墙体设计应进行下列计算和验算：

1 在自重荷载和土压力标准值作用下，墙体设计的计算与验算应符合现行国家标准《建筑地基基础设计规范》GB 50007 的有关规定；

2 贮藏窖砖砌拱顶截面计算应符合现行国家标准《砌体结构设计规范》GB 50003 的有关规定进行验算；

3 地震区的贮藏窖宜采用钢筋混凝土屋面，且应符合现行国家标准《建筑抗震设计规范》GB 50011 的有关规定。

6.5.6 贮藏窖不应出现一侧有土另一侧无土的情况。贮藏窖拱顶应按双铰拱计算（图 6.5.6），荷载组合应考虑拱上无土、拱上有土、拱上有地面荷载等几种情况。

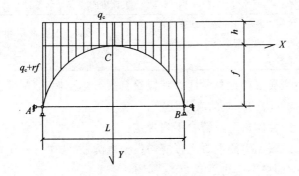

图 6.5.6　贮藏窖拱顶计算图

图中：h——贮藏窖顶覆土高度(m)；

f——贮藏窖拱高(m)；

L——贮藏窖的跨度(m)；

q_c——窖顶覆土线荷载(kN/m^2)；

r——填土容重(kN/m^3)。

6.5.7 砖砌拱顶贮藏窖填土施工应按顺序进行。

6.6 钢筋混凝土贮藏库

6.6.1 贮藏库的变形缝设置及结构耐久性应符合下列规范：

1 应根据结构类型并结合当地实际情况设置温度伸缩缝。

2 贮藏库纵向地基土的压缩性有显著差异或分期建造的交界处宜设置沉降缝。有抗震设防要求时，温度伸缩缝、沉降缝的设置应同时满足防震缝的设置要求。

3 贮藏库混凝土结构的耐久性应根据表6.6.1的环境类别进行设计。

表6.6.1 混凝土结构的环境类别

环境类别	条　件	名　称
二a	室内潮湿环境	0℃及以上温度库房、架空式地面防冻层
二b	严寒和寒冷地区冰冻线以上与无侵蚀性的水或土壤直接接触的环境	0℃及以上温度库房、架空式地面防冻层

6.6.2 钢筋混凝土贮藏库设计应符合现行国家标准《混凝土结构设计规范》GB 50010的有关规定。

6.6.3 贮藏库构造应符合下列规定：

1 贮藏库钢筋混凝土板应增设温度配筋，每个方向全截面最小温度配筋率不应小于0.20%。

2 钢筋混凝土柱与砌体之间应设拉结筋，沿高度每500mm应设置一道，伸入砌体长度不应少于1000mm；拉结筋每120mm

厚墙应设置一根 $\varphi6$ 钢筋;应先砌墙后浇柱,留马牙磋,灰缝饱满度应达到85%,砌体墙应按清水墙标准砌筑。

3 贮藏库门两侧应设置钢筋混凝土构造柱,门柱纵向受力钢筋应按计算确定,箍筋应符合现行国家标准《混凝土结构设计规范》GB 50010 的有关规定。

6.6.4 钢筋混凝土贮藏窖结构计算应符合下列规定:

1 预制顶板应按两端简支板计算;

2 侧墙上部支点可按铰接考虑。

6.7 钢结构贮藏库

6.7.1 钢结构贮藏库应符合下列规范:

1 钢结构贮藏库可采用门式刚架、钢框(排)架结构、轻型钢桁架结构。钢结构设计应符合现行国家标准《钢结构设计规范》GB 50017 的有关规定。

2 组装式钢结构应采用工厂化加工,热镀锌骨架,螺栓连接,不宜在现场焊接。

3 门式刚架轻型房屋的檩条和墙梁,宜选用斜卷边 Z 形冷弯型钢或卷边槽形冷弯型钢。

6.7.2 钢结构贮藏库内力计算应符合下列规定:

1 钢构件受拉强度应按净截面计算,受压强度应按有效净截面计算,稳定性应按有效截面计算,变形和各种稳定系数均可按毛截面计算;

2 刚架结构贮藏库,应根据结点构造,按二铰、三铰或无铰刚架进行内力分析。

6.8 通 风 道

6.8.1 地面下架空通风道应考虑的荷载包括自重荷载、马铃薯堆积荷载和土压力。

6.8.2 计算地面下通风道时地面荷载应根据实际情况确定,但不

得小于 $15kN/m^2$。

6.8.3 地下通风道在计算时应考虑侧墙两侧无土、一侧无土和两侧有土等各种荷载情况。

6.8.4 墙体内预留通风道应验算墙体有效截面的抗剪强度。

7 通风与防冻设计

7.1 一般要求

7.1.1 贮藏库(窖)通风设计宜采用自然通风,当自然通风不能满足贮藏要求时,宜采用机械通风或自然通风与机械通风相结合的通风方式。

7.1.2 通风系统设计应根据不同地域、不同季节的外界环境特征、贮藏库(窖)的结构类型、马铃薯贮藏方式确定设计通风量及通风口类型、尺寸和位置以及通风机类型、数量和布局。

7.1.3 通风系统的最大设计能力应保证贮藏库(窖)在拟使用期中最不利的外界条件下,库(窖)内温度、相对湿度及CO_2浓度满足贮藏要求。

7.1.4 设计通风量应包括排出多余热量,维持贮藏库(窖)适宜贮藏温度的必要通风量;降低CO_2浓度至工艺要求的必要通风量;排除水汽,防止室内高湿度的必要通风量。设计通风量应取最大值。

7.1.5 排出多余热量所需必要通风量可按下式计算:

$$L_h = \frac{Q_w + Q_m + Q_s}{C_p \times \rho \times (t_p - t_j)} \quad (7.1.5)$$

式中:L_h——排除多余热量的通风量(m^3/h);

Q_w——围护结构传热量(kW);

Q_m——马铃薯一次入库(窖)带入热量及马铃薯呼吸热(kW);

Q_s——设备产生的热量(kW);

C_p——空气定压比热容,常温下可取$1.0kJ/(kg \cdot ℃)$;

ρ——空气密度,常温下可取$1.2kg/m^3$;

t_p——排出贮藏库(窖)空气的温度(℃);

t_j——进入贮藏库(窖)空气的温度(℃)。

7.1.6 降低 CO_2 浓度至工艺要求的必要通风量可按下式计算：

$$L_c = \frac{L_p}{1000 \times \rho \times (N_i - N_a)} \qquad (7.1.6)$$

式中：L_c——排除多余 CO_2 的通风量[$m^3/(t \cdot h)$]；
　　　L_p——马铃薯1小时 CO_2 排出量[$mg/(kg \cdot h)$]；
　　　ρ——CO_2 密度(kg/m^3)；
　　　N_i——室内 CO_2 设计浓度，上限值为0.3%；
　　　N_a——户外空气中 CO_2 浓度，可取0.03%；如有实测资料，可按实测数据确定。

7.1.7 排除水汽，防止室内高湿度的必要通风量可按下式计算：

$$L_w = \frac{1000W}{\rho \times (d_1 - d_2)} \qquad (7.1.7)$$

式中：L_w——排除水汽通风量(m^3/h)；
　　　W——贮藏库(窖)内湿负荷(kg/h)；
　　　ρ——空气密度(kg/m^3)；
　　　d_1——进风含湿量($kg/kg_{干空气}$)；
　　　d_2——出风含湿量($kg/kg_{干空气}$)。

7.2 自然通风

7.2.1 应根据自然通风计算设置通风口面积，设计通风量应满足最大必要通风量要求。

7.2.2 进风口宜置于迎风面，出风口宜置于背风面，且出风口应高于进风口。出风口应高于马铃薯堆或位于贮藏库(窖)顶部附近位置。应尽量加大进风口与出风口之间的高差，进风口和出风口上应设置可启闭调节的风阀或窗扇，并应采取安全可靠的防虫防鼠等措施。

7.2.3 中、小型贮藏库(窖)进、出风口直径宜为0.12m～0.20m，间距4.00m～5.00m；地面通风道截面尺寸宜为0.30m×0.30m～0.60m×0.60m，间距宜为2.00m左右，并与进风口相通。

7.3 机械通风

7.3.1 机械通风的通风量应根据设计计算确定,但最小通风量不宜低于 $35m^3/(t·h)$,最大通风量不宜高于 $135m^3/(t·h)$。

7.3.2 机械通风包括正压通风和负压通风,应符合下列规定:

    1 正压通风系统进风口位置应低于出风口位置,以保证新鲜空气穿过薯堆;同时,机械通风系统的进风口与出风口之间的水平距离不应小于 20m,当水平距离不足 20m 时,出风口高出进风口的垂直距离不宜小于 6m,以避免通风短路;

    2 负压通风系统出风量分配应符合下列规定:

        1)当马铃薯放散的显热能形成稳定上升的气流时,宜从房间上部区域排出;

        2)当马铃薯放散的 CO_2 较多,放散的显热不足以形成稳定上升的气流而沉积在下部区域时,宜从下部区域排出总出风量的 2/3,上部区域排出总出风量的 1/3。

7.3.3 架空地板情况下通风系统阻力可按下式计算:

$$H = H_p + H_d \qquad (7.3.3)$$

式中:H——通风系统总阻力(Pa);

      H_p——马铃薯堆阻力(Pa);

      H_d——风道系统阻力(Pa)。

7.3.4 机械通风系统应设置自动控制系统,根据室内监测温度,按照预设值启闭风机。

7.3.5 大型贮藏库宜设架空通风地板。

7.4 大型贮藏库通风

7.4.1 贮藏库的空调设备应由回风段、新风调节段、新回风混合段、表冷段、加湿段、送风段、出风气楼及控制系统等组成。主风道与支风道连接处应设调节插板。

7.4.2 采用人工制冷空气通风时,应设置吊挂循环风机,保证库内空气均匀度。

7.4.3 选择机械通风系统的空气加热器时,热负荷应采用冬季室外最冷月平均温度计算。

7.4.4 回风机风量及风压选择应符合库内正常通风状态下的各参数规定,回风量宜为总送风量的70%～85%。

7.4.5 严寒地区应设防冻地板采暖系统和大门空气热风幕系统。

7.5 设备选择

7.5.1 通风机的选择宜考虑系统运行时的经济性,应对负载和系统阻力特性进行分析,使设计的运行工况点在通风机的高效工作区内。

7.5.2 当通风系统风量或阻力较大,采用单台通风机不能满足使用要求时,宜采用两台或两台以上同型号、同性能的通风机并联或串联安装,但其联合工况下的风量和风压应按通风机和管道的特性曲线确定。不同型号、不同性能的通风机不宜并联或串联安装。

7.5.3 增压用通风机宜选用轴流式风机,风量应能满足设计需要,风机静压宜为150Pa～300Pa。

7.5.4 循环风机宜配有电加热器或热水盘管加热器。

7.6 通风道及其他

7.6.1 通风道应采用不燃材料制作,宜优先采用耐锈蚀的风道材质。

7.6.2 通风道形式可采用地槽或地上波纹风管,风道宜对称布置、简捷。通风道应笔直通畅,必须弯曲时,应采用缓冲圆形拐角。

7.6.3 通风道支管间距应不大于2m,长度不大于14m,采用更长管道时,应在交叉区域做加固处理。通风道支管距墙体宜为0.30m～0.45m。

7.6.4 通风道主管内风速宜为 10m/s～13m/s,通风道支管内风速不宜大于 10m/s,出风口风速不宜大于 4m/s。

8 电气设计

8.1 一般要求

8.1.1 电气工程设计,除执行本规范外,还应符合行业标准《民用建筑电气设计规范》JGJ 16 的有关规定。

8.1.2 贮藏库(窖)电气线路保护装置宜采用带剩余动作电流保护的空气断路器,动作电流不大于 30mA,照明线路宜采用安全电压 24V 供电。

8.1.3 用电负荷宜为三级负荷。供电系统电压等级应为交流 220/380V。

8.2 配电系统

8.2.1 贮藏库(窖)内用电设备、线路应采取防尘、防潮、防鼠害及防人身伤害的保护措施。

8.2.2 贮藏库(窖)应设置独立配电箱,内地坪不宜敷设电气管线。

8.2.3 贮藏库(窖)内管线应采用阻燃铜芯绝缘导线穿 PVC 管敷设,电力线路导线截面面积不应小于 $2.5mm^2$,电力导线绝缘水平不应低于 0.6/1kV,控制线导线截面面积不应小于 $1.0mm^2$,不应使用裸导线,导线绝缘水平不应低于 0.45/0.75kV。

8.3 照明系统

8.3.1 贮藏库(窖)内灯具宜均匀布置,平均照度宜为 50lx。

8.3.2 贮藏库(窖)内严禁使用卤钨灯等高温光源,灯具应采用防潮型。

8.3.3 安装高度为 2.4m 及以下的灯具其金属外壳均应接 PE 保

护线。

8.4 防雷与接地

8.4.1 贮藏库(窖)内可采用建筑物结构钢筋构成防雷系统。

8.4.2 贮藏库(窖)内宜利用基础内钢筋作为接地装置。采用TN-S接地系统时,接地电阻应小于 4Ω。所有电气装置的外露可导电部分均应接地。

8.4.3 贮藏库(窖)内应设置总等电位装置,所有进出建筑物金属管路均应与总等电位连接。

8.4.4 当贮藏库(窖)内电气系统内工作接地、保护接地、防静电接地及防雷接地等采用共用接地装置时,共用接地装置的接地电阻应满足其中最小值。

8.4.5 大型贮藏库应配有监测温度、湿度和 CO_2 浓度的设备以及自动控制系统。

本规范用词说明

1 为便于在执行本规范条文时区别对待,对要求严格程度不同的用词说明如下:
　　1)表示很严格,非这样做不可的:
　　　　正面词采用"必须",反面词采用"严禁";
　　2)表示严格,在正常情况下均应这样做的:
　　　　正面词采用"应",反面词采用"不应"或"不得";
　　3)表示允许稍有选择,在条件许可时首先应这样做的:
　　　　正面词采用"宜",反面词采用"不宜";
　　4)表示有选择,在一定条件下可以这样做的,采用"可"。

2 条文中指明应按其他有关标准执行的写法为:"应符合……的规定"或"应按……执行"。

引用标准名录

《建筑模数协调标准》GB/T 50002
《砌体结构设计规范》GB 50003
《建筑地基基础设计规范》GB 50007
《建筑结构荷载规范》GB 50009
《混凝土结构设计规范》GB 50010
《建筑抗震设计规范》GB 50011
《建筑设计防火规范》GB 50016
《钢结构设计规范》GB 50017
《建筑地面设计规范》GB 50037
《屋面工程技术规范》GB 50345
《碳素结构钢》GB/T 700
《低合金高强度结构钢》GB/T 1591
《民用建筑电气设计规范》JGJ 16

中华人民共和国国家标准

马铃薯贮藏设施设计规范

GB/T 51124-2015

条文说明

制 订 说 明

《马铃薯贮藏设施设计规范》GB/T 51124—2015 经住房城乡建设部 2015 年 8 月 27 日以第 899 号公告批准、发布。

为便于广大设计、施工、科研、学校等有关单位人员在使用本规范时能正确理解和执行条文规定,《马铃薯贮藏设施设计规范》编制组按章、节、条顺序,编制了本规范的条文说明,对条文规定的目的、依据以及执行中需注意的有关事项进行了说明。但是,本条文说明不具备与规范正文同等的法律效力,仅供使用者作为理解和把握规范规定的参考。

目　次

1 总　　则 …………………………………………………（37）
3 基本规定 …………………………………………………（38）
　　3.1 分类 …………………………………………………（38）
　　3.2 选址 …………………………………………………（38）
　　3.3 使用年限及安全等级 ………………………………（38）
4 贮藏工艺设计 ……………………………………………（39）
　　4.1 贮藏环境 ……………………………………………（39）
　　4.2 贮藏方式 ……………………………………………（39）
5 建筑设计 …………………………………………………（40）
　　5.1 方案设计 ……………………………………………（40）
　　5.2 建筑构造 ……………………………………………（41）
6 结构设计 …………………………………………………（44）
　　6.1 一般要求 ……………………………………………（44）
　　6.2 荷载和荷载效应计算 ………………………………（44）
　　6.3 材料选用 ……………………………………………（45）
　　6.4 基础设计 ……………………………………………（45）
　　6.5 砖砌贮藏窖 …………………………………………（45）
　　6.6 钢筋混凝土贮藏库 …………………………………（46）
　　6.7 钢结构贮藏库 ………………………………………（47）
　　6.8 通风道 ………………………………………………（47）
7 通风与防冻设计 …………………………………………（48）
　　7.1 一般要求 ……………………………………………（48）
　　7.2 自然通风 ……………………………………………（49）
　　7.3 机械通风 ……………………………………………（49）

  7.4 大型贮藏库通风 …………………………………………（50）
  7.5 设备选择 ……………………………………………………（50）
  7.6 通风道及其他 ………………………………………………（51）
8 电气设计 ……………………………………………………………（52）
  8.1 一般要求 ……………………………………………………（52）
  8.2 配电系统 ……………………………………………………（52）
  8.3 照明系统 ……………………………………………………（52）
  8.4 防雷与接地 …………………………………………………（52）

1 总　　则

1.0.1 制定本规范的目的主要是为了满足马铃薯贮藏设施设计的需要，保证马铃薯贮藏设施设计的质量，提高马铃薯贮藏设施设计的规范化水平，指导各地开展马铃薯贮藏设施建设。

1.0.2 本规范适用于新建马铃薯贮藏设施的设计，改建和扩建马铃薯贮藏设施参照本规范。

1.0.3 在国家相关政策的指导下，结合当地的自然和人文环境、经济和技术发展水平，满足建筑气候分区的基本要求，做好设计前的准备工作，并全面搜集分析所需资料，是进行马铃薯贮藏设施设计的基础。

1.0.4 与本规范关系密切的国家现行标准、规范，主要有：

《建筑模数协调标准》GB/T 50002；

《砌体结构设计规范》GB 50003；

《建筑地基基础设计规范》GB 50007；

《建筑结构荷载规范》GB 50009；

《混凝土结构设计规范》GB 50010；

《建筑抗震设计规范》GB 50011；

《建筑设计防火规范》GB 50016；

《钢结构设计规范》GB 50017；

《建筑地面设计规范》GB 50037；

《屋面工程技术规范》GB 50345；

《碳素结构钢》GB/T 700；

《低合金高强度结构钢》GB/T 1591；

《民用建筑电气设计规范》JGJ 16。

3 基本规定

3.1 分 类

3.1.1 小型贮藏设施多为单跨窖或小型贮藏库,中型贮藏设施多为窖群或中型贮藏库,大型贮藏设施多为窖群或大型贮藏库。

3.2 选 址

3.2.1 本条主要是利用自然高差灵活选择窖体埋置深度,方便马铃薯搬运,同时,也可利用地块形状合理布置窖体方向。比如有些地区马铃薯贮藏窖建在梯田的田埂里,类似于窑洞的形式。

3.2.2 本条主要是依据马铃薯搬运方便提出的要求,根据进出车辆大小,合理确定贮藏设施出入口前场地大小。

3.3 使用年限及安全等级

3.3.1 本条根据我国马铃薯贮藏设施实地调研情况,并借鉴国家现行有关工程结构标准制定。

4 贮藏工艺设计

4.1 贮藏环境

4.1.3 贮藏库(窖)内必须保证有流通的清洁空气,以降低库(窖)内二氧化碳浓度。通风可以把外面清洁而新鲜的空气通入库(窖)内,而把同体积的二氧化碳等气体排出库(窖)外。二氧化碳浓度高,会妨碍块茎的正常呼吸。因此规定二氧化碳浓度上限为0.30%。

4.1.4 马铃薯应避免见光,光可使薯皮变绿,龙葵素含量增加,降低食用品质。

4.2 贮藏方式

4.2.1 散堆贮藏:

贮藏库(窖)内薯堆过高,下层薯块所承受的压力大,导致下层薯块被压伤,上层薯块也会因为薯堆呼吸热而发生严重的"出汗"现象,从而导致块茎大量发芽和腐烂,上层也会由于离窖顶过近而易受冻;薯堆过低,不利于窖内的保温,因此贮量不宜超过窖容的2/3。

大型贮藏库内自动控制系统现代化程度较高,保证库内温湿度适宜,可进行强制通风换气,因此,可以提高薯堆高度,通常限定在4.00m~4.50m。

5 建筑设计

5.1 方案设计

5.1.1 为使马铃薯贮藏设施容量计算在项目报批、初步设计、施工图设计等不同阶段有统一的计算方法,按照本规范公式(5.1.1)计算,不同地区、不同贮藏设施类型的贮藏体积差别很大,详见本规范第4.2节的规定,因此,此公式的计算需要先确定建设项目建设地点、贮藏设施类型,再确定实际堆放体积,此公式仅适用于袋堆和散堆。马铃薯块茎越小,体积密度越大。

5.1.2 本规范建议没有供暖设备的贮藏设施,严寒地区采用地下形式,寒冷地区采用半地下形式,主要是从冬季保温角度考虑,防止马铃薯冻伤。设备齐全的贮藏库可以采用地上形式,不受气候区影响。

5.1.3 考虑到设施内相对湿度较高,达到90%左右,且设施内无可燃性物品,因此,按照《建筑设计防火规范》GB 50016戊类仓库的有关规定设计。

5.1.4 单跨窖的跨度限制范围主要是因为单跨窖多采用砖拱屋面,砖拱屋面吸湿性好,跨度3.00m～4.00m砖拱屋面较经济,屋面也可采用预制板,但预制板的长度也不宜过长,以4.00m内为宜,窖长度主要是由贮藏马铃薯规模确定的。在调研中发现宁夏固原地区部分农户马铃薯贮量不大,仅需要5t窖,长度才3.00m,但内蒙古乌兰察布农户自建窖贮量很大,多为80t～100t窖,长度以20.00m为主。窖长也不宜过长,因为长度过大不利于窖的自然通风,容易烂薯,进出马铃薯作业线路过长也不方便。

　　窖群相对减少外墙面积,因此保温性较好,窖群内的单跨窖共用走道和入口坡道,提高土地利用率和减少了建设成本,全封闭走道可以起到缓冲和保温的作用,而且还可以对马铃薯进行入窖、出窖前的分级筛选工作,方便冬季贮藏期间内出薯装车。现张北地区也有跨度为6.00m的窖群,屋面为砖拱形式,跨度大,方便进大车,可减少人力搬运,但是跨度大,屋面对应矢高大,建设投资大,多用于贮藏种薯。

大型贮藏库马铃薯堆高度达4.00m,上方还应预留安装循环风机高度及预留循环风机与马铃薯间距,因此本规范规定库净高应大于6.00m。贮藏库单元组合平面常采用"非"字形布局,中间为走道,走道两侧并排布置贮藏库单元,走道多堆码垛或停放运输机械并设有控制操作间,因此走道宽度宜大于6.00m。

5.2 建筑构造

5.2.1 我国幅员辽阔,各地气候条件差异较大,围护结构热工设计应根据项目所在地气候环境参数进行设计。

我国北方地区是马铃薯主产区,贮藏期从10月到次年4月,因此冬季保温显得尤为重要,为维持马铃薯正常贮藏环境,假定冬季贮藏设施内温度为t_i,相对湿度为90%,为保证墙体和屋顶内表面不结露,按照现行国家标准《民用建筑热工设计规范》GB 50176—1993中的下式计算:

$$R_{0.\min}=\frac{(t_i-t_e)nR_i}{[\Delta t]} \tag{1}$$

加草黏土的热导率是夯实黏土热导率的一半,加草黏土保温性更好。

大型贮藏库对马铃薯贮藏环境要求较高,因此对围护结构保温性要求也较高,本条规定是参考美国农业生物工程协会的农业建筑保温标准设定的。

大型贮藏库参考现行国家标准《冷库设计规范》GB 50072—2010中表4.3.8,地面热阻应大于1.72(m²·K)/W。

5.2.2 现行国家标准《屋面工程技术规范》GB 50345—2012屋面

防水等级可按不低于Ⅲ级设计,耐用年限在10年以上。

无组织排水屋面有利于雨水排放,避免了屋面积水渗漏的隐患,故一般地区宜采用。增加檐口挑出尺寸能减少自由落水屋面雨水淋湿墙现象。金属夹芯板屋顶采用悬山形式时,能有效避免女儿墙泛水板处的渗水隐患。

5.2.3 常年室内空气湿度大于80%的建筑,会发生结露,潮气会通过墙面渗到保温层中,影响保温效果,故作本条规定。

在墙体设计中,所选材料要具有一定的吸湿性,不易结露。除恒温库外的贮藏设施内部环境调控能力较差,因此难免出现内表面结露的现象,水泥砂浆显碱性,且吸湿性不如清水砖墙,经过多年贮藏经验积累,清水砖墙内表面更有利于马铃薯的贮藏。而恒温库较容易控制内部环境条件,不会结露,水泥砂浆墙面光滑,有利于马铃薯贮藏。

5.2.4 除大型贮藏库外,其他的贮藏设施内部环境调控能力较差,因此难免出现结露的现象,水泥砂浆显碱性,且吸湿性不如夯实土地面,经过多年贮藏经验积累,夯实土地面更有利于马铃薯的贮藏。

贮藏库多采用保温地面,应执行现行国家标准《建筑地面设计规范》GB 50037的有关规定,设计贮藏库地面时应遵照执行。贮藏库地面直接承受大面积马铃薯堆载,故应重视对库内地基的处理及回填土的分层碾压或夯实。

5.2.5 门为进出马铃薯主要途径,因此本条规定门洞位置和数量应根据贮藏设施的长度和平面布局形式来确定。例如,如果单跨窖长度超过30m,门开在长度方向的中间较开在尽端更有利于自然通风,而且可以缩短进出窖作业距离。

不同类型、规模的马铃薯贮藏设施,马铃薯进出窖作业方式差别很大,贮量小于20t的单跨窖,进出窖主要是人工方式,因此门尺寸可以较小;贮量大于60t的贮藏设施,马铃薯进出作业主要是农用车,因此门尺寸应该满足农用车进出的要求。

本条是对窗设置的一般规定。南方地区贮藏期从9月至次年4月,期间9月～11月温度还较高,需要开窗通风,因此窗应该有一定的遮光性。北方地区窗是保温、密闭较差的部位之一,在满足使用要求的前提下,应尽量减少数量,窗常退化为一个较小的通风孔。

5.2.6 本条是对散水一般性规定。混凝土散水具有整体性好、强度高、便于清扫及车辆通行等优点。

贮量20t以下的单跨窖为提高土地利用率,可采用台阶,但踏步宽度不小于240mm,踏步高度不大于200mm,贮量大于60t的贮藏设施应采用坡道。

6 结构设计

6.1 一般要求

6.1.1 设计马铃薯贮藏库(窖)地域分布广泛,除大型贮藏库外,多数小型建造方多为农民自建,因此应考虑当地实际建材情况设计,因地制宜地设计窖体的材料。

6.2 荷载和荷载效应计算

6.2.1 本规范中的永久荷载和可变荷载,类同于一般所称的恒荷载和活荷载。贮藏窖上面的土压力和窖体本身的自重作为永久荷载都是因为它们随时间单调变化而能趋于限制的荷载,其标准值依其可能出现的最大值来确定。

屋面活荷载、风荷载、雪荷载、马铃薯堆积荷载、货架荷载是通过对全国多处在建贮藏库(窖)的调查的基础上统计得来的。

由于贮藏窖属于农业设施,多数为农民个人投资,应尽量选择地震及地下水影响较小的地区,故本规范不考虑水压力对窖体的影响。地震作用可根据国家标准《建筑结构抗震规范》GB 50011 具体规定确定。

6.2.3 马铃薯的堆放方式对库(窖)壁产生的作用力包括作用于库(窖)壁的水平压力、竖向摩擦力;实际中可能有散装也可能有袋装,设计时应采用最不利荷载对库(窖)体产生的最不利荷载。γ 取 $5.50 kN/m^3 \sim 6.50 kN/m^3$。

6.2.5 目前调查的已建单层贮藏库库房堆货高度一般 4.5m 左右,超过 4.5m 的高货架库房应根据货架平面布置和货架层数按实际情况计算取值。

6.2.6 本条主要是考虑制冷机房放在马铃薯库屋面时产生的荷

载,实际设计时应按照设备厂家提供的制冷设备实际重量考虑。

6.2.7 荷载效应组合中对所考虑的极限状态,在确定其荷载效应时,应对所有可能同时出现的各种荷载作用加以组合,求得组合后在结构中的总效应。取其中最不利的一组作为该极限状态的设计依据。

贮藏库按正常使用极限状态设计时的荷载效应组合,应根据不同的设计要求按现行国家标准《建筑结构荷载规范》GB 50009 确定。

6.2.8 本规范的荷载均为马铃薯设计时产生的常用荷载,如实际发生其他各种荷载取值,除本规范规定者外,其余均按国家标准《建筑结构荷载规范》GB 50009 和《建筑抗震设计规范》GB 50011 的规定采用。

6.3 材料选用

6.3.1～6.3.4 目前已建的砖窖的材料基本都是烧结普通黏土砖,但由于烧结普通黏土砖国家规范已经明文禁止使用,各地可根据实际情况,考虑使用当地符合设计强度规定范围的建材。

贮藏库(窖)中所采用的材料均应符合砌体结构、钢筋混凝土、钢结构、地基基础等相关国家标准的有关规定采用。

6.4 基础设计

6.4.2 贮藏窖都应埋在地下水位较深的地方,最高地下水位应低于库底至少 1m。

6.4.3 贮藏库基础计算应符合国家标准《建筑地基基础设计规范》GB 50007 承载力计算的有关规定。地下或半地下贮藏库(窖)基础计算时应考虑土压力对侧墙、土压力对窖顶的压力。

6.5 砖砌贮藏窖

6.5.1 图 1 为常见的已建贮藏窖内景,由于砖砌拱顶贮藏窖为抗震不利结构,故本规范特规定了砖砌拱顶的设计范围。砖砌拱顶贮藏窖应尽量选择在无地震地区。地下、半地下贮藏库(窖)为增强整体刚度,防止由于地基的不均匀沉降或窖体外土压力及马铃薯堆积荷载等对墙体引起的不利影响,在墙中设置现浇钢筋混凝土圈梁,构造柱。

图1 砖砌贮藏窖实景

6.6 钢筋混凝土贮藏库

6.6.3 图2为钢筋混凝土贮藏库实景,此类马铃薯贮藏库设计应符合《混凝土结构设计规范》GB 50010 有关规定。贮藏库钢筋混凝土板应增设温度配筋,每个方向全截面最小温度配筋率不应小于0.20%。

图2 钢筋混凝土结构贮藏库实景

6.7 钢结构贮藏库

6.7.1 图 3 为钢结构贮藏库实景,此类马铃薯贮藏库设计应符合国家标准《钢结构设计规范》GB 50017 的有关规定。

图 3 钢结构贮藏库实景

6.7.2 屋盖结构传来的竖向荷载与柱间连续梁传来的马铃薯堆积水平侧压力等荷载均由刚架承受。

6.8 通 风 道

6.8.1 通风道是地下、半地下贮藏窖特有的结构构件,设计时应考虑马铃薯荷载对通风道的影响。预埋在墙体中的砖砌通风道应考虑其对墙体截面的影响。

7 通风与防冻设计

7.1 一般要求

7.1.1 本条是基于节能要求考虑。自然通风主要通过合理利用热压和风压作用形成有组织气流,满足库(窖)内要求、减少通风能耗。设计时应充分考虑自然通风的利用。

7.1.2 我国各地均有马铃薯分布,由于自然气候条件千差万别,马铃薯的播种和收获季节不同,形成了与之相适应的各种不同贮藏方式。根据各地贮藏时间、目的以及贮藏条件不同,选择适宜的贮藏方式,是达到安全贮藏目的的主要保障措施。

7.1.4 本条主要从经济角度考虑。通风设计方案的确定应以成本投入、有效动力和管理技术为基础。

7.1.5～7.1.7 必要通风量的确定方法:

马铃薯贮藏设施通风的目的是排出多余热量、降低CO_2浓度、排除水汽,将马铃薯的贮藏温度、湿度及库(窖)内CO_2浓度控制在一定水平,所以要选取其中的最大值。

马铃薯温度每降低1℃,马铃薯释放的热量为3430kJ/t,马铃薯呼吸热可按表1计算:

表1 马铃薯在不同温度的呼吸热[kJ/(t·24h)]

5℃	15℃	20℃
628～2009	1381～2763	1884～3684

由于马铃薯在不同温度下,呼吸强度不同,释放的CO_2量也不同,因此本规范公式(7.1.6)中的L_P可按表2的规定取值。

表2 每千克马铃薯在不同温度每小时排出的CO_2量[mg/(kg·h)]

0℃	10℃
2～5	4～8

自然通风时,本规范公式(7.1.6)中的 $Q_S=0$;电动机散热当量应符合表3的规定:

表3 电动机散热当量(kW)

电动机功率	置于贮藏室内	置于贮藏室外
0.09~0.36	16.128	9.648
0.36~2.16	14.040	9.648
2.16~14.4	11.196	9.648

贮藏管理对于马铃薯安全贮藏极其重要。马铃薯贮藏管理的基础是要知道室内外的环境参数。室内外环境参数主要依靠现场监测获取。

7.2 自然通风

7.2.1 自然通风量的计算应同时考虑热压和风压的作用。

7.2.2 为了提高自然通风的效果,自然进风口应尽量低;自然通风口应采用阻力系数小、易于操作和维修的进出风口或窗扇。

7.2.3 中、小型贮藏窖进排风口的推荐面积和间距是基于国内实践经验,结合国内外有关资料制定的。

7.3 机械通风

7.3.1 最佳通风量的大小和通风时间长短在世界范围内存在不同观点,存在争议的原因主要受不同气候条件的影响。本规范机械通风的推荐通风量是基于国内实践经验,结合国内外有关资料确定的。

7.3.2 机械送风系统(正压)进风口位置的规定,是根据国内外有关资料,结合国内实践经验制定。为防止排风对进风的污染,进、排风口的相对位置应遵循避免短路的原则。

7.3.3 本条主要基于合理组织室内气流的要求考虑。没发芽马铃薯 H_P 可按 7.35Pa/m,考虑薯块所带泥土时 H_P 可按 18.2Pa/m 估算。无架空地板 $H_d=0$。通风系统阻力的计算,马铃薯堆阻力推荐值是基于国内外有关资料确定的。

7.3.4 本条基于操作方便考虑。手动和半自动操作需要相当多的管理预测能力,而且大多数通气状况在晚上发生,因此应用起来不方便。而自动操作的花费相对于通风设备的成本和作物价值而言并不算多。

7.4 大型贮藏库通风

7.4.1 贮藏库通风系统的组成。设计时根据不同要求确定设计方案。

7.4.2 为节约成本,防止制冷空气通过贮藏的块茎后排出,推荐使用强制循环系统使冷空气在马铃薯间合理分布。

7.4.3 累年最冷月,系指累年逐月平均气温最低的月份。累年值是指历年气象观测要素的平均值或极值。累年月平均温度具体到本规范中是指指定时段内某月份历年月平均气温的平均值。累年月平均气温最低的月份是12个累年月平均气温中的最小值对应的月份。

7.4.4 本条回风量推荐值根据国内工程经验给出。

7.5 设备选择

7.5.1 通风机运行既经济又稳定的工作区域,一般是设备最高效率90%~95%以上范围内的最佳区域。风机性能表上给出的工况点,都在最佳工作区,按其性能表上给出的性能选用设备是合理的。

7.5.2 通风机并联的目的是在同一风压下获得较大的风量;串联的目的是在同一风量下获得较大的风压。通风机并联或者串联工作时,布置是否得当是十分重要的。如果布置和使用不当,并联工作有时不但不能增加风量,反而会适得其反,会比一台通风机的通风量还小;串联工作也会出现类似情况。由于通风机并联和串联工作比较复杂,为简化设计和便于运行管理,本条规定采用单台通风机不能满足使用要求时,宜采用两台或两台以上同型号、同性能的通风机并联或串联安装,但其联合工况下的风量和风压应按通风机和管道的特性曲线确定。

7.5.3 增压风机均匀安装在压力舱顶,由于相对风阻较小,非常适合采用轴流风机。本条给出的风量和风压推荐值是基于国内经验值给出的。

7.5.4 国内制造的马铃薯库用循环风机通常配有12kW或18kW功率的电加热器,在寒冬时启用加热,可以有效防止屋顶产生冷凝水。另外,在马铃薯出库时,也可作升温加热器。本条是基于国内实践经验考虑。

7.6 通风道及其他

7.6.1 通风道的材料。通风道应坚固耐用、阻燃,由于环境湿度高,还应耐锈蚀。

7.6.3 规定本条的目的是为了使设计的通风道尺寸标准化,为施工、安装和维护管理提供方便。通风道支管间距及长度的规定是基于国内外实践经验得出。规定通风道与墙体间距是为了避免空气动能的损失。

7.6.2 通风道布置应使局部阻力尽量减小。因此,所有管道必须笔直通畅,如果必须弯曲,要使其成缓冲的圆形拐角。

7.6.4 通风道内风速推荐值根据国内实践经验及国内外有关资料给出。

8 电气设计

8.1 一般要求

8.1.1 贮藏库(窖)环境潮湿,加强人身的电击防护,宜采用剩余电流动作保护的空气断路器,照明线路宜采用安全电压供电。

8.2 配电系统

8.2.3 因贮藏库(窖)环境潮湿,铝芯绝缘导线不耐腐蚀,需采用阻燃铜芯绝缘导线。

8.3 照明系统

8.3.1 贮藏库(窖)内马铃薯应避光贮藏,平均照度不过宜高,选为50lx。

8.3.2 贮藏库(窖)内马铃薯需低温贮藏,严禁使用卤钨灯等高温光源;环境潮湿,灯具应采用防潮型。

8.4 防雷与接地

8.4.2 贮藏库(窖)内环境潮湿,加强人身的电击防护,所有电气装置的外露可导电部分均应接地。